Les dessins sont extraits des albums suivants :

Something Under the Bed is Drooling © 1998 by Bill Watterson
The Essential Calvin and Hobbes © 1988 by Bill Watterson
Yukon Ho ! © 1989 by Bill Watterson
Lazy Sunday Book © 1989 by Bill Watterson
Weirdos from Another Planet © 1990 by Bill Watterson
The Authoritative Calvin and Hobbes © 1990 by Bill Watterson
The Revenge of the Baby-Sat © 1991 by Bill Watterson
Scientific Progress Goes Boink © 1991 by Bill Watterson
Attack of the Deranged Mutant Killer Monsteur Snow Goons © 1992 by Bill Watterson
The Days Are Just Packed © 1993 by Bill Watterson
Homicidal Psycho Jungle Cat © 1994 by Bill Watterson
There's Treasure Everywhere © 1996 by Bill Watterson

Copyright © janvier 2005, Hors Collection pour l'édition française
Traduit de l'américain par Laurent Duvault
Calvin et Hobbes est une bande dessinée créée par Bill Watterson et syndiquée universellement
par Universal Press Syndicate. Tous les titres Calvin et Hobbes indiqués dans la liste ci-dessus
furent publiés pour la première fois aux États-Unis par Andrews McMeel
Publishing, une société de Andrews McMeel Universal, Kansas City, Missouri.
Lettrage : Martine Segard
ISBN : 2-258-06217-9
N° d'éditeur : 597

Tous droits réservés

NUIT D'ANGOISSE

*E*ncore une nuit privée de sommeil,
Les heures filent sur mon réveil
Mes yeux font le tour de la pièce. Éveillé je gis.

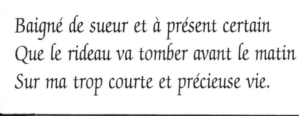

Baigné de sueur et à présent certain
Que le rideau va tomber avant le matin
Sur ma trop courte et précieuse vie.

Des ténèbres s'élève un bruit
Du placard, comme un robinet qui fuit
Gouttant sans cesse, obnubilant.

C'est une bête à l'énorme corps
Qui se réjouit déjà de ma mort,
Des flaques de poison sur le sol coulant.

Un pistolet, une bombe lacrymo,
Pour rester en vie c'est tout ce qu'il me faut
Mais d'arme, je n'en vois aucune.

Oh, mon dieu ! Une ombre glisse
Elle suinte, puissante, noire, lisse
Rampant à travers un carré de lune !

Soudain le plancher craque.
Il annonce ce suceur de sang, ce maniaque
Qui est là pour me voler mes futures années !
La pièce s'emplit d'une odeur sulfureuse
annonçant bientôt ma fin douloureuse.
Un croc brille dans l'ombre noire et troublée !

Oh, yeux injectés de sang et tentacules !
Palpitants et vibrants ventricules !
Pores suintants de mucus ! Griffes effrayantes !

Pire encore, pour une maxi trouille
Ses ventouses par milliers qui grouillent
M'attrapent et m'attirent vers sa mâchoire terrifiante !

Cette dégoûtante aberration
De la nature n'a besoin d'aucune motivation
Pour dévorer dans leur lit d'impuissants enfants.
Elle savoure leurs gémissements désespérés,
Les enfants sont avalés, leurs os sucés,
Leur petite tête dans sa bouche fondant !

Je le sais parce que je l'ai lu,
Il n'y a pas deux heures, et j'ai eu
La chair de poule et je tremblais de la tête aux pieds.

Mes parents ont juré sur l'honneur
Que tout allait bien, qu'il ne fallait pas avoir peur
Ils verront bien, demain, comme ils se sont trompés.

Demain matin, ils entreront
« Quel était cet horrible remue-ménage ? », ils diront,
« Impossible de fermer l'œil à cause de toi ! »

Seulement alors ils découvriront
Toute l'horreur de ma disparition
Et verront que tout ce qui reste de moi
                                est un petit tas.

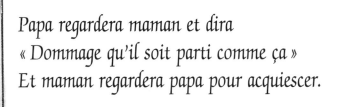

Papa regardera maman et dira
« Dommage qu'il soit parti comme ça »
Et maman regardera papa pour acquiescer.

Puis elle ajoutera « il fallait s'en douter
Que, même en nous quittant à jamais
Encore du désordre derrière lui, il laisserait ».

Au début ils s'en ficheront, je le sais.
C'est plus tard que je leur manquerai,
Et ils admettront peut-être qu'ils se sont trompés
Alors que mes traces s'effaceront.
« Nous étions trop durs avec lui », ils avoueront.
« Depuis le début nous aurions dû l'écouter. »

Alors que je vois ma fin se rapprocher à grand pas
Je murmure « bonne nuit » une dernière fois
À mon meilleur ami adoré.
Ronflant doucement, les moustaches frémissantes
(il doit être en train de rêver) et reniflantes
Il est couché sous les couvertures, pelotonné.

HÉ ! STUPIDE CRÉTIN, IL FAUT TE RÉVEILLER !
TU DORS ALORS QUE JE VAIS ME FAIRE DÉVORER ?!
Soudain, le monstre voit que je suis en bonne compagnie !

Il y a un animal dans mon lit avec moi
Une terrible bête qu'il n'a pas vue est là !
S'il l'avait su, le monstre ne serait jamais sorti !

Le monstre, dans sa consternation,
Nous effectue une belle défenestration,
Et encore et toujours et toujours plus loin s'enfuit.

Adieu calamité !
Je peux me reposer
Merci à mon meilleur ami de m'avoir sauvé la vie.

Fin

AAAAH! AAAAAH!

YA UN TRUC QUI GROUILLE SUR MA JAMBE! ENLÈVE-MOI ÇA!

... OH, CE NE SONT QUE DES PIÈCES. J'AI UN TROU DANS LA POCHE. OUF!

TU NE SAIS JAMAIS QUAND UN RONGEUR FOU AUX PIEDS FROIDS VA SE PERDRE DANS TON PANTALON.

ENCORE UNE RAISON POUR NE PAS EN PORTER.

TU CROIS QUE LES BÉBÉS NAISSENT COUPABLES? QU'ILS VIENNENT AU MONDE DÉJÀ PÉCHEURS?

NON, JE PENSE QU'ILS APPRENNENT VITE.

AVEC LES ANIMAUX, IL SUFFIT D'ABORDER CERTAINS SUJETS POUR SE FAIRE INSULTER.

Calvin:
MÉMOIRES D'UN ENFANT DE SIX ANS

Ma vie a été une suite fascinante d'exploits extraordinaires qui m'ont inspiré beaucoup de pensées profondes.

Mais franchement, ce ne sont pas vos oignons, alors dégagez ! Fin.

EST-CE QUE LES ÉDITEURS VEULENT LES MANUSCRITS SUR DISQUETTE ?

JE NE M'INQUIÉTERAIS PAS TROP POUR ÇA...

AAAH ! LE NUTELLA EST FOUTU !

TU N'ES CENSÉ ATTAQUER LE POT QUE D'UN CÔTÉ ET RACLER L'AUTRE PAR EN DESSOUS, POUR QUE LA CROÛTE DU HAUT RESTE INTACTE JUSQU'À LA SUPER FIN !

MAIS POURQUOI DONC ?

C'EST UN RITUEL ! TU DOIS GARDER LE HAUT DU POT INTACT.

PEUT-ÊTRE DEVRAIS-TU FAIRE TES PROPRES SANDWICHS ?

SI TU NE CONTRÔLES PAS TON NUTELLA, TU NE CONTRÔLERAS PAS TA VIE. TU AS COUPÉ LE PAIN EN DIAGONALE ?

PÉÉÉNIBLE !

C'EST ÇA, C'EST ÇA ...TUEZ LE MESSAGER.

PRINCIPAL

 ALLÔ, LA BIBLIOTHÈQUE DÉPARTEMENTALE ? LE BUREAU DES RÉFÉRENCES, S'IL VOUS PLAÎT. MERCI.

 ALLÔ ? OUI, J'AI BESOIN D'UN LIVRE SUR LA THÉORIE ET LA TECHNIQUE DE PEINTURE.

 JE M'INTÉRESSE PLUS SPÉCIFI- QUEMENT AUX GRAFFITIS. Y A-T-IL UN LIVRE QUI EXPLIQUE LE BON USAGE DU MATÉRIEL ET QUI DONNE LES GROS MOTS ET LES SLOGANS LES PLUS POPULAIRES ?

 MAIS À QUOI DÉPENSENT-ILS DONC LEUR ARGENT LÀ-BAS ?

 Calvin

 Calvin le GÉNIE

 Calvin le SUPER GÉNIE

 TU SIGNES LES DEVOIRS COMME ÇA ? ÇA MET EN BONNE CONDITION POUR LES LIRE, NON ?

 CLINK CLINK

 MON THÉ GLACÉ EST UN ÉCHEC.

JE PEUX ALLER BOIRE ?

D'ACCORD MAIS FAIS VITE.

QUE FAIS-TU À LA MAISON ?!

JE PRÉFÈRE NOTRE EAU.

C'EST DUR DE SAVOIR CE QUI EST IMPORTANT DANS LA VIE.

ON NE REMARQUE PAS LES PETITS TRUCS ET ON N'EST JAMAIS PRÉPARÉ AUX GROS.

ET LES CHOSES INTERMÉDIAIRES ?

CE SONT LES PLUS ENNUYEUSES.

ESPÉRONS QU'AVANCER À L'AVEUGLETTE EST LA BONNE MÉTHODE.

SELON LES PUBS, L'HALEINE FRAÎCHE ET LES DESSOUS-DE-BRAS SECS SONT CRUCIAUX.

CalviN et HOBBES

WATTERSON

ARRÊTE DE TE MOQUER DE MOI !

ALORS, HOBBES DE QUOI J'AI L'AIR ?

JE DONNE MA LANGUE AU CHAT.

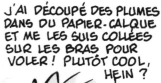

J'AI DÉCOUPÉ DES PLUMES DANS DU PAPIER-CALQUE ET ME LES SUIS COLLÉES SUR LES BRAS POUR VOLER ! PLUTÔT COOL, HEIN ?

S'IL SUFFISAIT DE PLUMES EN PAPIER POUR VOLER, ON EN AURAIT DÉJÀ ENTENDU PARLER, TU NE CROIS PAS ?

IL FAUT UN CERVEAU HORS DU COMMUN POUR Y PENSER, HOBBES.

ÇA C'EST VRAI.

VOILÀ UN RAVIN. C'EST UN BON ENDROIT.

TU VAS SAUTER D'ICI ?

MAIS NON ! J'AI BESOIN D'*ÉLAN*. JE VEUX QUE TU ME *LANCES*

TU AS BIEN NOTÉ QUE JE N'ASSUME AUCUNE RESPONSABILITÉ.

PARFAIT. CE SERA MON BREVET.

OH HISSE!

JE VOLE ! JE VOLE !

JE ... OH OH...

MÊME CLÉMENT ADER A FINI COMME ÇA, AU DÉBUT.

TAIS-TOI ET VA CHERCHER LE MERCURO-CHROME.

WATTERSON

SI ON POUVAIT EXAUCER TROIS VOEUX, LESQUELS CHOISIRAIS-TU ?

QUE TROIS VOEUX, HEIN ? HMM... C'EST DIFFICILE COMME DÉCISION.

JE CROIS QUE JE DEVRAIS UN PEU Y RÉFLÉCHIR.

OUPS! ACCROCHE-TOI!

OK, J'AI TROUVÉ LE PREMIER.

UNE DES CRÉATURES LES PLUS LAIDES DE LA NATURE, LA CHAUVE-SOURIS, EST UNE MERVEILLE INCOMPRISE DE L'ÉVOLUTION.

EN PRODUISANT UNE SÉRIE DE CRIS TRÈS AIGUS, ELLE PEUT JUGER LA DISTANCE ET L'ALTITUDE D'UN INSECTE GRÂCE À LA RÉVERBÉRATION DE SES CRIS!

LES CHANGEMENTS D'ANGLES DE CET ÉCHO INDIQUENT LA DIRECTION DE LA BÊTE CONDAMNÉE! AUCUN MOUVEMENT N'ÉCHAPPE AUX INCROYABLES SENS DE LA CHAUVE-SOURIS!

GLUMP! TA-DAA! LES YEUX FERMÉS!

CALVIN, ASSIEDS-TOI ET MANGE AVEC UNE FOURCHETTE COMME UN ÊTRE HUMAIN CIVILISÉ!

BÂILLE

AAAAAH!

POUR LA DERNIÈRE FOIS, SORS DE CE LIT! ON VA ÊTRE EN RETARD!

J'ESSAYE, J'ESSAYE.

Il y a peu de temps, j'ai pris une grande décision
Impossible de m'en souvenir… c'est la confirmation
Qu'un simple choix peut parfois se révéler essentiel
Même si, très souvent, il peut apparaître superficiel.

Quand j'ai quitté la maison, je devais être étourdi
À gauche ou à droite (j'aimerais bien le savoir !), je suis parti
Qu'importe, je n'ai jamais reculé : j'ai marché dans cette direction
Complètement absorbé, il semblerait, dans une douce introspection.

Sans trouver de raison, j'ai marché jusqu'à m'égarer
Et c'est comme ça qu'ici, aujourd'hui, je me suis retrouvé.

Nous sommes des explorateurs, intrépides et courageux
Dans la jungle, entourés de secrets merveilleux
Armés de notre esprit vif, d'une carte et d'un casse-croûte.
En quête d'amusement, nous sommes sur la bonne route !

La nuit, mon imagination ne se soucie pas
De savoir si ce qu'elle rêve est ici ou là-bas.
Elle me raconte des histoires qu'elle invente
Et donne vie à des choses incohérentes
Je ne sais pas pourquoi elle fait ça.
La réalité me paraît déjà assez bizarre comme ça.

Ma mère a des yeux derrière la tête !
J'ai du mal à y croire, mais c'est elle qui le répète
Elle m'a expliqué qu'elle a ce pouvoir unique
Pour m'attraper quand je fais des Choses Interdites.
Je pense qu'elle doit aussi avoir des yeux sur le derrière.
Car ses conclusions sont toujours très claires.

Je refusais avec eux de partir
Mais je n'ai pas pu choisir
Ils ont été assez clairs avec moi
Vu le ton menaçant de leur voix.

Énergiquement j'ai protesté
Et par terre, je me suis roulé
Même si au mobilier je me suis accroché
Par la porte ils m'ont fait passer.

Dans la voiture, j'ai crié et supplié
À en avoir les yeux rouges j'ai pleuré
Par la fenêtre baissée « au secours » j'ai crié
Aux passants qu'on croisait.

Des règles, Maman et Papa peuvent en édicter
Et certains trucs prohiber
Mais je peux leur faire regretter
D'avoir eu, un jour, un héritier.

Et si mes os au musée finissaient,
Où des aliens pour les voir payeraient ?
Imaginez qu'en vrac ils m'aient reconstitué
En recollant ensemble des os totalement dépareillés !

Imaginez des phalanges, des vertèbres, un bassin
Soudés à des maxillaires qui furent miens !
À chaque mauvais assemblage, s'aggrave l'erreur,
Et les aliens, stupéfaits, reculeront de terreur !

Leurs manuels me montreront de bien sinistre façon
La chose la plus hideuse de toute la Création !
Le musée commandera un modèle en plâtre
De MOI, qu'ils baptiseront « Évolution : le désastre » !

Et là les paléontologues en conjectures se perdront,
Des douzaines de théories et d'explications fleuriront
Pour justifier comment, tous ces siècles, l'homme a pu rester vivant
Avec, lui sortant des oreilles, des bras couverts de dents !

Oh, j'espère que je ne serai jamais ainsi représenté
Peu importe COMBIEN pour me voir les aliens payeraient.

Là je suis dans mon lit douillet,
Les draps sur la tête remontés
Mon tigre dort à poings fermés
Dans la chaleur de sa fourrure enveloppé.
Dans le lit, il prend beaucoup de place
Et ronfle comme un monospace.

NOUS N'APPRÉCIONS PLUS L'ARTISANAT! NOUS NE RESPECTONS PLUS QUE L'EFFICACITÉ IMPITOYABLE. EN AGISSANT AINSI, NOUS RENIONS NOTRE PROPRE HUMANITÉ.

SANS APPRÉCIATION DE LA GRÂCE ET DE LA BEAUTÉ, IL N'Y A PLUS DE PLAISIR, NI DANS LA CRÉATION, NI DANS LA POSSESSION! NOS VIES SONT PLUS ENNUYEUSES, PAS PLUS RICHES!

COMMENT ÊTRE FIER DE SON TRAVAIL QUAND LE SOIN ET LE TALENT SONT CONSIDÉRÉS COMME ACCESSOIRES?! NOUS NE SOMMES PAS DES MACHINES! NOUS AVONS UN BESOIN HUMAIN D'ARTISANAT!

TU AS EU DEUX JOURS POUR FAIRE CE DEVOIR.

DEUX JOURS?! MAIS DEUX JOURS, C'EST RIEN!

IL Y A DES MONSTRES SOUS MON LIT, CE SOIR?

PEUT-ÊTRE, PEUT-ÊTRE PAS.

TU VEUX DIRE "BIEN SÛR QUE OUI"?

ON N'A PAS DIT ÇA.

"ON"?

JE VEUX DIRE "JE".

...EUH...JE VOULAIS DIRE SI J'ÉTAIS LÀ.

FERME-LA, WILSON.

HEUREUSEMENT POUR MOI, LES MONSTRES N'ONT PAS LES IDÉES CLAIRES QUAND ILS ONT FAIM.

JE NE VEUX PAS ALLER
AU LIT ! JE N'AI PAS
À T'OBÉIR !

EN FAIT, SI.
C'EST DANS
TON CONTRAT.

MON CONTRAT ?
QUEL CONTRAT ?

OH, C'EST UN FORMULAIRE
PRÉNATAL ASSEZ STANDARD.
J'AI LA LOI POUR MOI DEPUIS
L'ÉPOQUE OÙ TU N'ÉTAIS QU'UN
EMBRYON. LE PARAGRAPHE 2
PRÉCISE TON HEURE DE
COUCHER.

PAPA DIT
QUE JE
POURRAI
RENÉGOCIER
À MES
18 ANS.

CE "COUCHER"
À 7H30 SERA
DUR À EXPLIQUER
À TA CAVALIÈRE LE
SOIR DE TON BAL
DE PROMO.

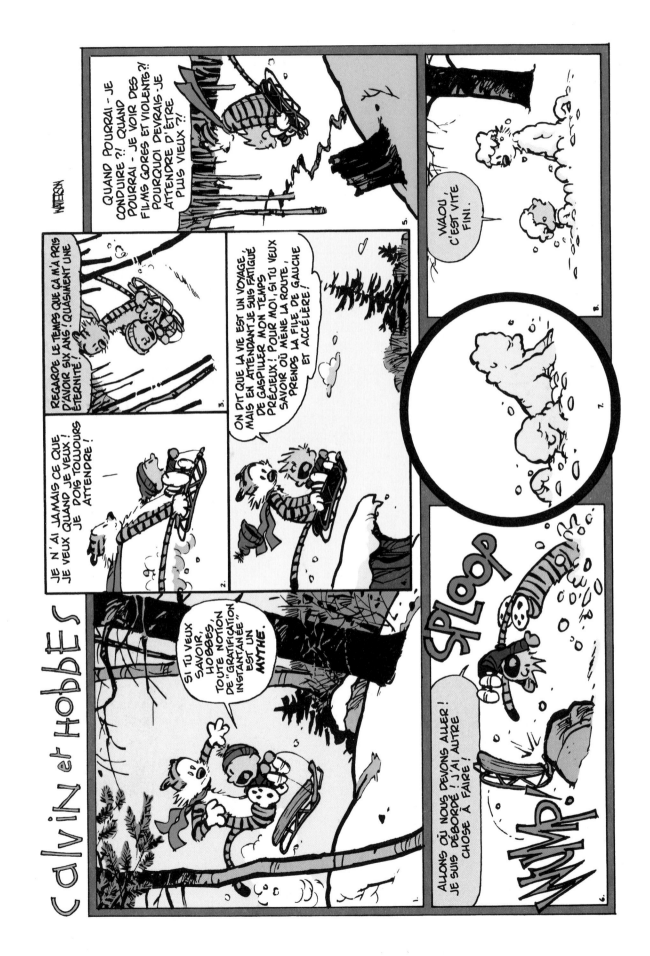

30

ARRGH! JE NE POURRAI JAMAIS ME SOUVENIR DE TOUS CES STUPIDES MOTS DE VOCABULAIRE!

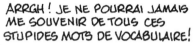

TRANSMO-GRIFEUR

ZAP

TRANSMO-GRIFEUR

POUM POUM POUM

COMMENT UN ENFANT SI PETIT PEUT-IL FAIRE AUTANT DE BRUIT?

CALVIN, QU'EST-CE QUE TU FABRIQUES, LÀ-HAUT?! ON DIRAIT UN ÉLÉPHANT! TU ES CENSÉ FAIRE TES DEVOIRS!

AH ! QUELLE SUPER IDÉE ! LES ÉLÉPHANTS N'OUBLIENT JAMAIS RIEN, ALORS J'AI MÉMORISÉ ÇA EN UN CLIN D'ŒIL ! C'EST FAIT !

MAINTENANT, JE PEUX ALLER JOUER DEHORS !

HÉ, HOBBES, DEVINE CE QUE J'AI DE CHANGÉ ?!

AUGH !!

40

41

J'ADORE LIBÉRER LES CERFS-VOLANTS

PARFOIS QUAND JE PARLE, MES MOTS NE PARVIENNENT PAS À SUIVRE MES PENSÉES.

JE ME DEMANDE POURQUOI NOUS PENSONS PLUS VITE QUE NOUS PARLONS.

PEUT-ÊTRE POUR POUVOIR Y RÉFLÉCHIR À DEUX FOIS.

PAN ! JE T'AI EU ! ARRRG!

AARRRG HUMPFF!

TIENS.

QU'EST-CE QUE C'EST ? C'EST LA DANSE MARACA-BRE !

SHOOKA SHOOKA

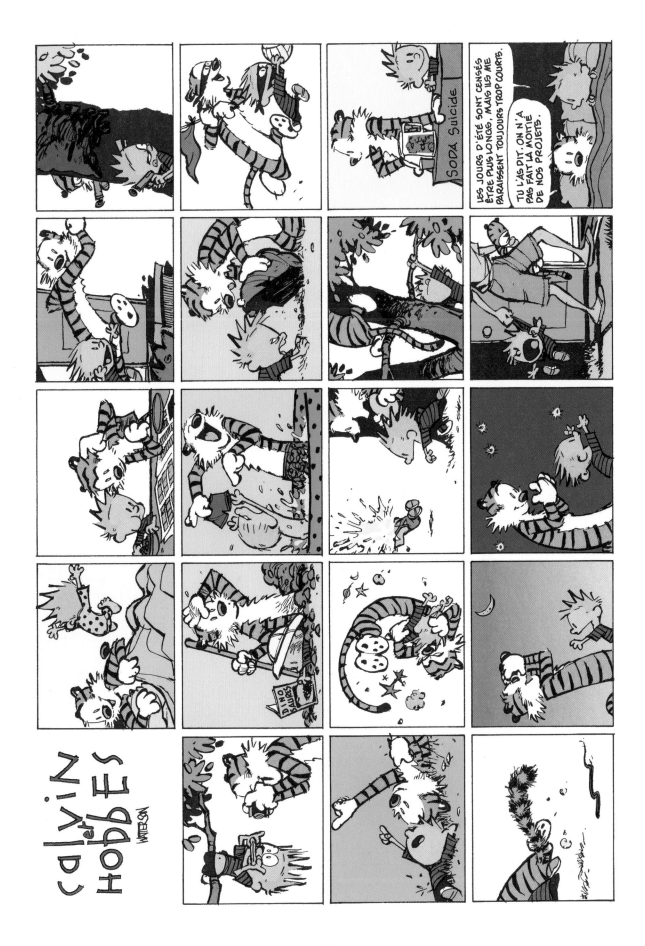

47

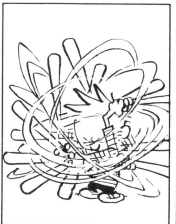

Calvin et Hobbes — WATTERSON

JE N'ARRIVE JAMAIS À APPRÉCIER LES DIMANCHES, PARCE QU'AU FOND DE MOI, JE N'OUBLIE JAMAIS QUE LE LENDEMAIN, JE DOIS ALLER À L'ÉCOLE.

C'EST COMME ESSAYER D'APPRÉCIER SON DERNIER REPAS AVANT SON EXÉCUTION.

UN CENTIME POUR TES PENSÉES.

DÉSOLÉ, MES PENSÉES SONT À UN EURO.

UN EURO ?! C'EST DU VOL ! TES PENSÉES NE VALENT PAS TANT !

CELLE-LÀ OUI ! À UN EURO, C'EST L'AFFAIRE DU SIÈCLE !

JE N'AURAIS PAS PAYÉ UN CENTIME POUR TOUTES LES PENSÉES QUE TU AS EUES DURANT TOUTE TA VIE PLEINE DE PUCES !

CETTE PETITE REMARQUE FAIT MONTER LE PRIX À DIX EUROS !

DIX ?? C'EST DE L'EXTORSION ! GARDE TES STUPIDES PENSÉES !

SI TU SAVAIS DE QUOI IL S'AGIT, TU ME SUPPLIERAIS POUR PAYER DIX EUROS !

ALLEZ, DIS-MOI CE QUE C'EST, D'ACCORD ?

RIEN À FAIRE, MON POTE.

C'EST BON, JE TE DONNERAI 25 CENTIMES. C'EST TOUT CE QUE J'AI.

FAIS VOIR.

VOILÀ ! 25 CENTIMES ! BON, ALORS, C'EST QUOI CETTE SI GRANDE PENSÉE SI CHÈRE ?!

"TOUT FLATTEUR VIT AUX DÉPENS DE CELUI QUI..."

LE BASE BALL EST UN SPORT INTELLIGENT. IL FAUT PLUS QUE DE LA FORCE BRUTE.

IL PEUT PARAÎTRE LENT PARCE QUE C'EST UN SPORT CÉRÉBRAL : IL Y A BEAUCOUP DE STATÉGIES À APPLIQUER.

SURTOUT VU LA FAÇON DONT **ON** JOUE !

OUAIS ! LE PREMIER QUI DÉCOUVRE LA DOUZIÈME BASE GAGNE UN POINT FANTÔME ET UN " SORTEZ DE PRISON " GRATUIT...

DIS MAMAN, J'AI UNE QUESTION.

BIEN SÛR, CHÉRI.

POURQUOI ÇA COÛTE QUATRE EUROS LA MINUTE POUR PARLER AU TÉLÉPHONE À DES DAMES FOFOLLES QUI SONT EN SOUS-VÊTEMENTS DANS DES PUBS À LA TÉLÉ ?

ET QUAND AS-TU VU ÇA ?!

HUM... C'ÉTAIT... EUH... PENDANT LES DESSINS ANIMÉS DU MATIN.

D'UNE FAÇON OU D'UNE AUTRE, CHAQUE FOIS QUE JE POSE UNE QUESTION, JE DOIS FOURNIR TOUT UN TAS DE RÉPONSES.

VOUS APPELEZ ÇA DES NOUVELLES ?! C'EST PAS DE L'INFORMATION !

C'EST DES EFFETS SONORES ! C'EST DU DIVERTISSEMENT ! C'EST DU SENSATIONNALISME !

HEUREUSEMENT, C'EST LA SEULE CHOSE QUE J'AI LA PATIENCE DE REGARDER.

Achevé d'imprimer en France par Mame Imprimeurs à Tours
Dépôt légal : janvier 2005